outros jeitos de usar a boca

outros
jeitos
de usar
a boca
rupi kaur

tradução
ana guadalupe

 Planeta

Copyright © Rupi Kaur, 2015
Copyright © Editora Planeta do Brasil, 2017
Todos os direitos reservados.
Título original: *Milk and honey*
Esta edição foi publicada originalmente nos Estados Unidos por Andrews McMeel Publishing, uma divisão da Andrews McMeel Universal, Kansas City, Missouri.

Preparação: Julia de Souza
Revisão: Renata Lopes Del Nero
Adaptação do projeto e diagramação: Jussara Fino
Arte do box: Adaptada do projeto original por Fabio Oliveira
Capa: Victor Igual, S. L.
Adaptação de capa: Fabio Oliveira
Ilustrações de capa e miolo: Rupi Kaur

CIP-BRASIL. CATALOGAÇÃO NA PUBLICAÇÃO
SINDICATO NACIONAL DOS EDITORES DE LIVROS, RJ

Kaur, Rupi
  Outros jeitos de usar a boca / Rupi Kaur; tradução de Ana Guadalupe.
– 1. ed. – São Paulo: Planeta, 2021.
  208 p.: il.

ISBN 978-65-5535-626-7
ISBN 978-65-5535-625-0 (box)
Título original: *Milk and honey*

1. Poesia indiana I. Título II. Guadalupe, Ana

21-5408   CDD 811.6

Índice para catálogo sistemático:
1. Poesia indiana

Ao escolher este livro, você está apoiando o manejo responsável das florestas do mundo

2022
Todos os direitos desta edição reservados à
EDITORA PLANETA DO BRASIL LTDA.
Rua Bela Cintra, 986 – 4º andar
01415-002 – Consolação – São Paulo-SP
www.planetadelivros.com.br
faleconosco@editoraplaneta.com.br

para
os braços
que me envolvem

meu coração me acordou chorando ontem à noite
o que posso fazer eu supliquei
meu coração disse
escreva o livro

partes

a dor • 9
o amor • 43
a ruptura • 79
a cura • 145

a dor

como é tão fácil pra você
ser gentil com as pessoas ele perguntou

leite e mel pingaram
dos meus lábios quando respondi

porque as pessoas não foram
gentis comigo

o primeiro menino que me beijou
segurou meus ombros com força
como se fossem o guidão da
primeira bicicleta
em que ele subiu
eu tinha cinco anos

ele tinha cheiro
de fome nos lábios
algo que aprendeu com
o pai comendo a mãe às 4h da manhã

ele foi o primeiro menino
a ensinar que meu corpo foi
feito para dar aos que quisessem
que eu me sentisse qualquer coisa
menos que inteira

e meu deus
eu de fato me senti tão vazia
quanto a mãe dele às 4h25

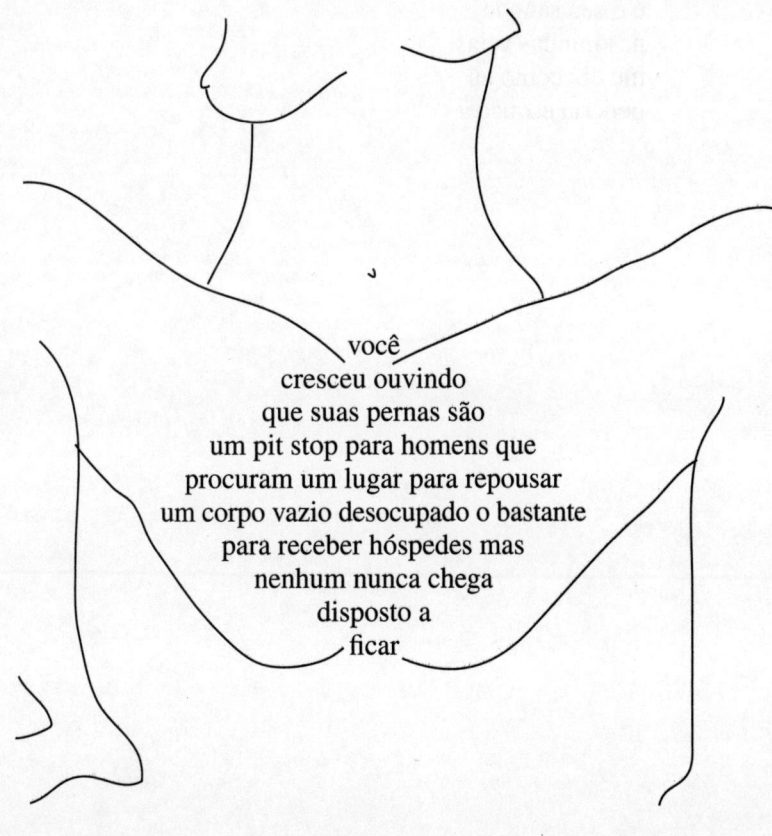

você
cresceu ouvindo
que suas pernas são
um pit stop para homens que
procuram um lugar para repousar
um corpo vazio desocupado o bastante
para receber hóspedes mas
nenhum nunca chega
disposto a
ficar

é o seu sangue
nas minhas veias
me diz como eu
poderia esquecer

o terapeuta coloca
a boneca na sua frente
ela é do tamanho das meninas
que seus tios gostam de apalpar

mostre onde ele colocou as mãos

você mostra o lugar
entre as pernas aquele
que ele arrancou com os dedos
igual a uma confissão

como você está se sentindo

você desfaz o nó
da garganta
com os dentes
e diz *bem*
um pouco dormente

- *sessões nos dias de semana*

ele deveria ser
o primeiro homem que amou na vida
você ainda procura por ele
em todo lugar

- *pai*

você tinha tanto medo
da minha voz
que eu decidi
ter medo também

ela era uma rosa
mas quem a pegou na mão
não tinha intenção
de guardá-la

toda vez que você
diz para sua filha
que grita com ela
por amor
você a ensina a confundir
raiva com carinho
o que parece uma boa ideia
até que ela cresce
confiando em homens violentos
porque eles são tão parecidos
com você

- *aos pais que têm filhas*

transei ela disse
mas não sei
como é
fazer amor

se já tivesse visto
a segurança de perto
eu teria passado menos
tempo caindo em braços
que não eram

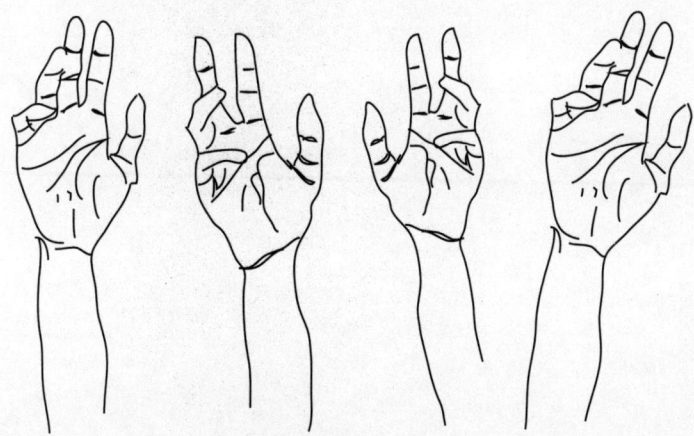

sexo exige o consentimento dos dois
se uma pessoa está ali deitada sem fazer nada
porque não está pronta
ou não está no clima
ou simplesmente não quer
e mesmo assim a outra está fazendo sexo
com seu corpo isso não é amor
isso é estupro

a ideia de que somos
tão capazes de amar
mas escolhemos
ser tóxicos

não há no mundo ilusão maior
que a noção de que uma mulher vá
trazer desonra a um lar
caso tente proteger seu coração
e seu corpo

você pregava
minhas pernas
no chão
aos chutes
para depois pedir
que eu parasse em pé

o estupro
vai te rasgar
ao meio

mas
não vai ser
o seu fim

você tem dores
morando em lugares
em que dores não deveriam morar

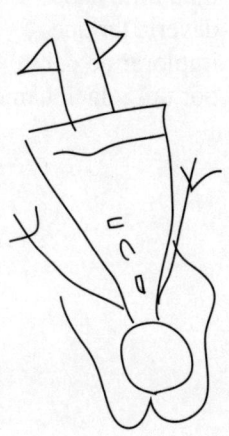

uma filha não
deveria ter que
implorar ao pai
por um relacionamento

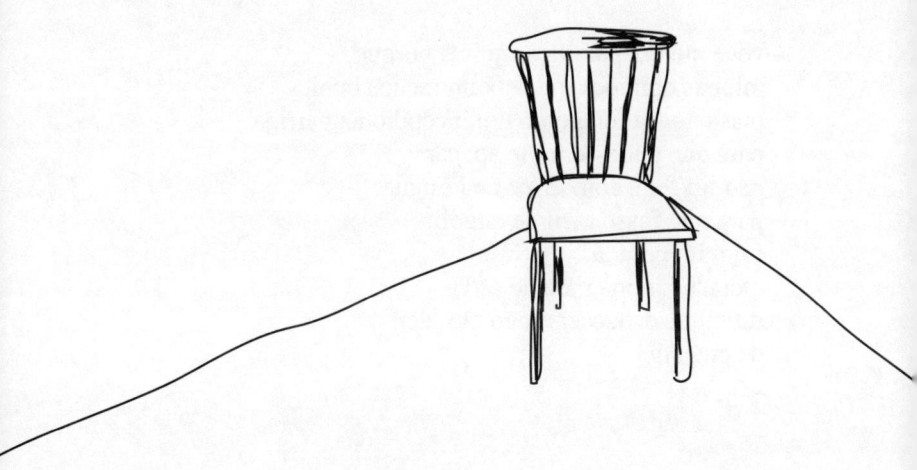

tentar me convencer
de que tenho permissão
para ocupar espaço
é como escrever com
o punho esquerdo
quando nasci
para usar meu direito

- a ideia de encolher é hereditária

você me diz para ficar quieta porque
minhas opiniões me deixam menos bonita
mas não fui feita com um incêndio na barriga
para que pudessem me apagar
não fui feita com leveza na língua
para que fosse fácil de engolir
fui feita pesada
metade lâmina metade seda
difícil de esquecer e não tão fácil
de entender

ele a destripa
com os dedos
como quem raspa
as sementes de um
melão-cantalupo

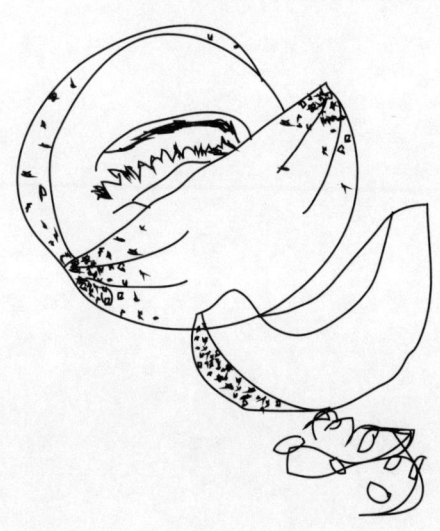

sua mãe
tem essa mania
de dar mais amor
do que você pode carregar

seu pai está ausente

você é uma guerra
a fronteira entre dois países
o dano colateral
o paradoxo que os une
mas também os separa

deixar a barriga da minha mãe vazia
foi meu primeiro ato de desaparecimento
aprender a encolher para uma família
que gosta de ver as filhas invisíveis
foi o segundo
a arte de se esvaziar
é simples
acredite quando eles dizem
que você não é nada
vá repetindo
como um mantra
eu não sou nada
eu não sou nada
eu não sou nada
tão concentrada
que o único jeito de saber
que você ainda existe é
o seu peito ofegante

- *a arte de se esvaziar*

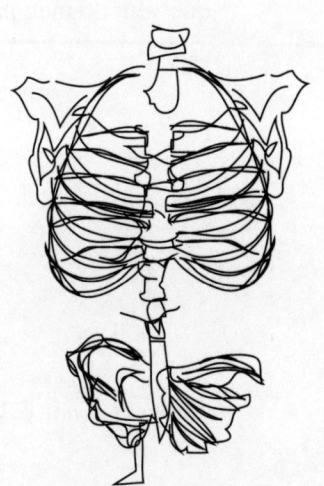

      você é igualzinha à sua mãe

           acho mesmo que a ternura dela me cai bem

vocês duas têm os mesmos olhos

           porque nós duas estamos exaustas

e as mãos

           temos os mesmos dedos secos

mas essa raiva sua mãe não veste esse ódio

      tem razão
      essa raiva é a única coisa
      que vem do meu pai

(tributo a *herança*, de warsan shire)

quando minha mãe abre a boca
para conversar durante o jantar
meu pai enfia a palavra silêncio
nos seus lábios e diz que ela
nunca deve falar com a boca cheia
foi assim que as mulheres da minha família
aprenderam a viver com a boca fechada

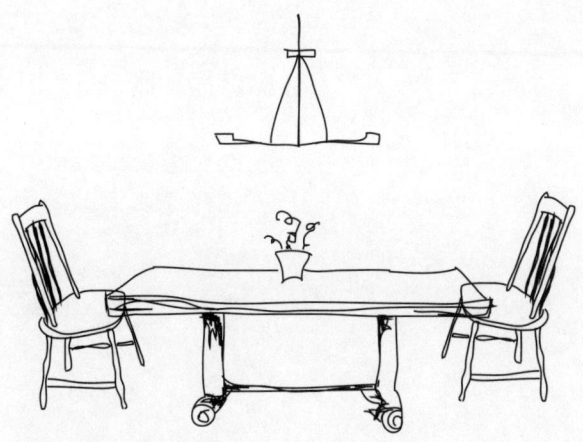

nossos joelhos
arreganhados
por primos
e tios
e homens
nossos corpos manipulados
pelas pessoas erradas
que mesmo numa cama segura
sentimos medo

pai. você sempre liga sem ter nada especial a dizer. você
pergunta o que estou fazendo ou onde estou e se o silêncio
entre nós se estende por uma vida dou um jeito de encontrar
perguntas que façam a conversa continuar. o que eu queria
mesmo dizer é. eu sei que o mundo te despedaçou. foi com
tudo pra cima de você. não te culpo por não saber
ser delicado comigo. às vezes fico acordada pensando
em todos os machucados que você tem e nunca vai
dizer. eu venho do mesmo sangue dolorido. do mesmo
osso tão sedento por atenção que desabo em mim
mesma. eu sou sua filha. eu sei que a conversa-fiada é o
único jeito que você conhece de dizer que me ama. porque
é o único jeito que eu conheço.

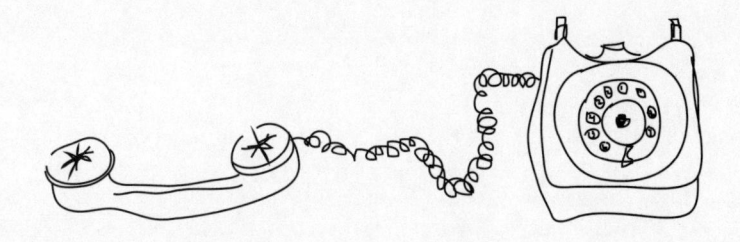

você me revira por dentro com dois dedos e eu fico chocada
acima de tudo. parece borracha esfregando uma ferida aberta.
não gosto. você começa a se mexer cada vez mais rápido. mas
não sinto nada. você busca uma reação no meu rosto e começo
a agir como as mulheres nuas dos vídeos que você vê quando
acha que ninguém está olhando. imito os gemidos. vazios
e vorazes. você pergunta se estou gostando e eu digo *sim*
tão rápido que soa ensaiado. mas a interpretação.
você não percebe.

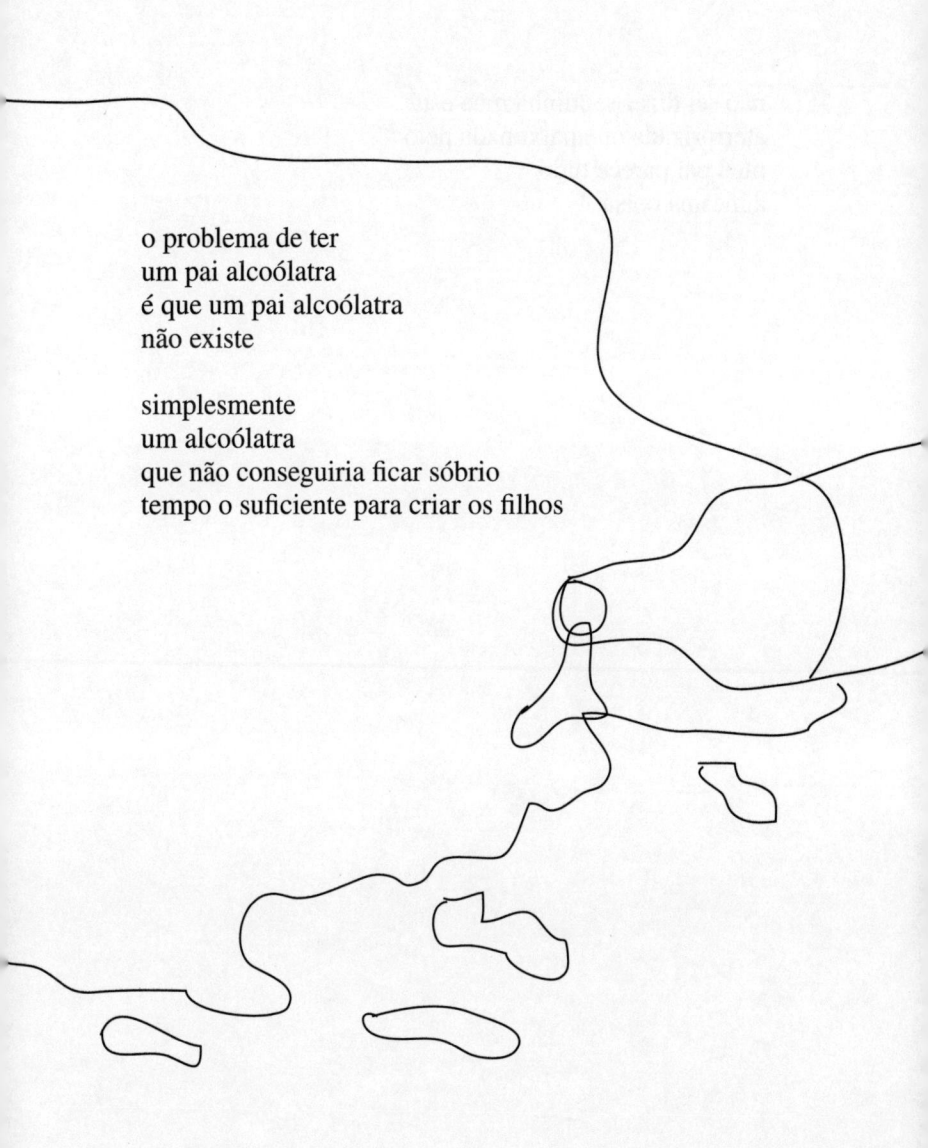

o problema de ter
um pai alcoólatra
é que um pai alcoólatra
não existe

simplesmente
um alcoólatra
que não conseguiria ficar sóbrio
tempo o suficiente para criar os filhos

não sei dizer se minha mãe está
aterrorizada ou apaixonada pelo
meu pai parece tudo
a mesma coisa

estremeço quando você me toca
temo que seja ele

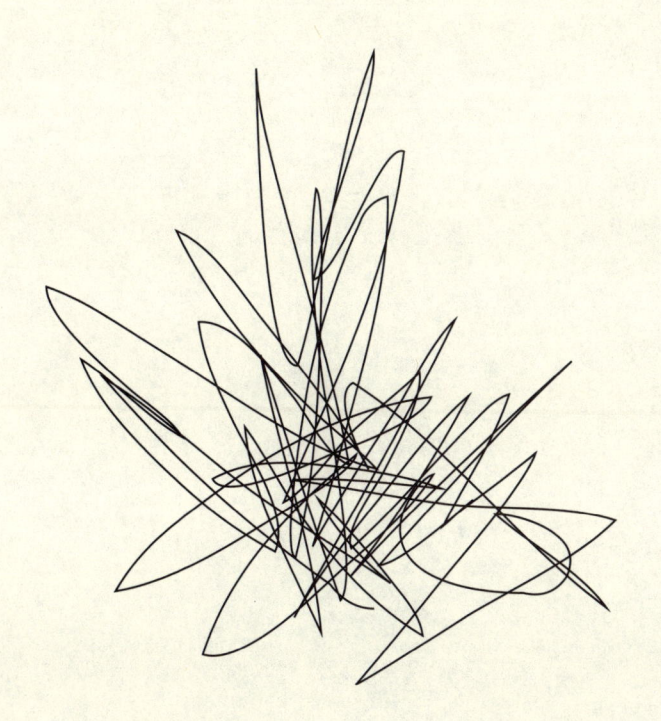

o amor

quando minha mãe estava grávida
do segundo filho eu tinha quatro anos
apontei para sua barriga inchada sem saber como
minha mãe tinha ficado tão grande em tão pouco tempo
meu pai me ergueu com braços de tronco de árvore e
disse que nesta terra a coisa mais próxima de deus
é o corpo de uma mulher é de onde a vida vem
e ouvir um homem adulto dizer algo
tão poderoso com tão pouca idade
fez com que eu visse o universo inteiro
repousando aos pés da minha mãe

tenho tanta dificuldade
de entender
como alguém
pode derramar sua alma
sangue e energia
em alguém
sem pedir
nada em
troca

- tenho que esperar até ser mãe

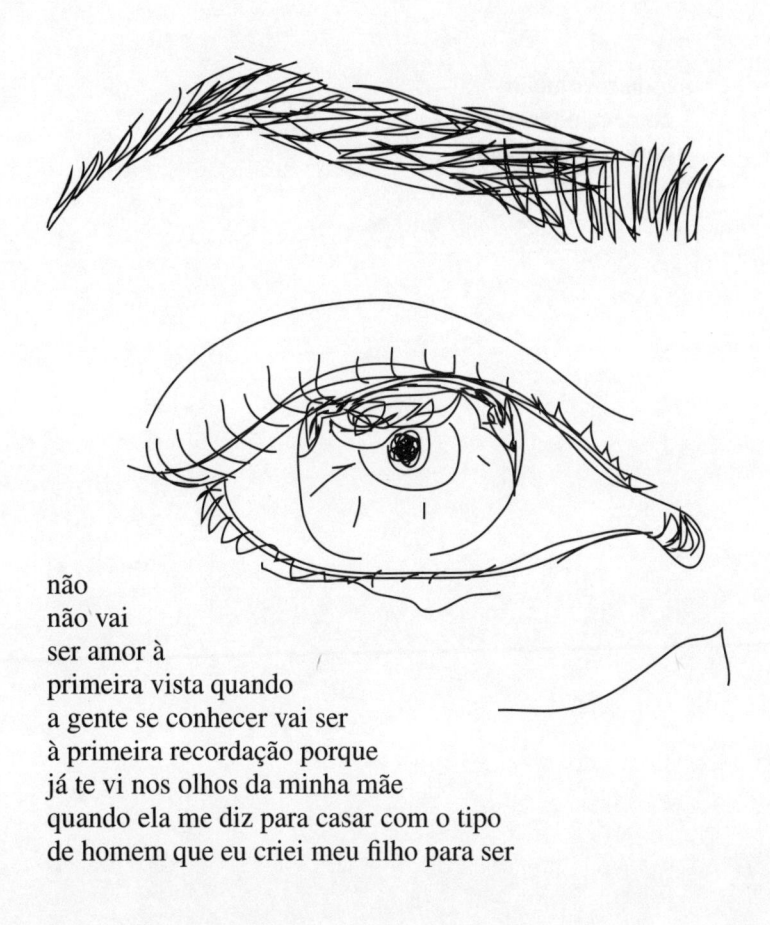

não
não vai
ser amor à
primeira vista quando
a gente se conhecer vai ser
à primeira recordação porque
já te vi nos olhos da minha mãe
quando ela me diz para casar com o tipo
de homem que eu criei meu filho para ser

toda revolução
começa e termina
com os lábios dele

o que eu sou pra você ele pergunta
eu coloco as mãos em seu peito
e sussurro *você*
é toda esperança
que eu já tive
na forma humana

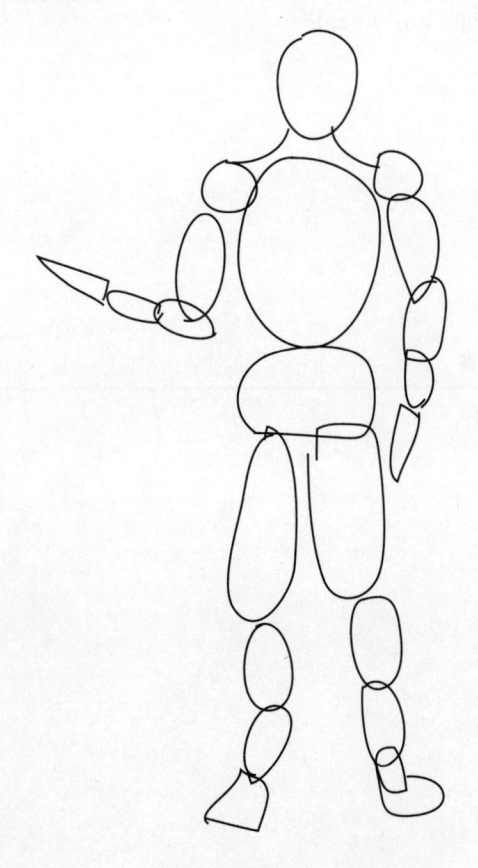

o que eu mais gosto em você é o seu cheiro
você tem cheiro de
terra
ervas
jardins
um pouco mais
humano que a gente

eu sei que eu
devia desmoronar
por motivos melhores
mas você por acaso já viu
aquele menino ele deixa
o sol de
joelhos toda
noite

você é a linha tênue
entre ter fé e
esperar às cegas

- carta ao meu futuro amante

nada mais seguro
que o som de você
lendo alto para mim

- *o encontro perfeito*

ele tocou
meu pensamento
antes de chegar
à minha cintura
meu quadril
ou minha boca
ele não disse que eu era
bonita de primeira
ele disse que eu era
extraordinária

- como ele me toca

estou aprendendo
a amá-lo
me amando

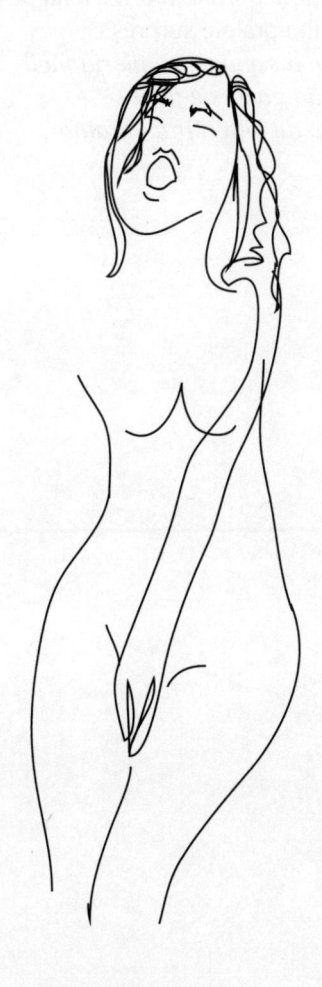

ele diz
desculpe por eu não ser uma pessoa fácil
eu olho pra ele surpresa
quem disse que eu queria fácil
eu não gosto de fácil
gosto de difícil pra caralho

só de pensar em você
minhas pernas abrem espacate
como um cavalete com uma tela
implorando por arte

eu estou pronta para você
eu sempre
estive
pronta para você

- *a primeira vez*

não quero ter você
para preencher minhas partes vazias
quero ser plena sozinha
quero ser tão completa
que poderia iluminar a cidade
e só aí
quero ter você
porque nós dois juntos
botamos fogo em tudo

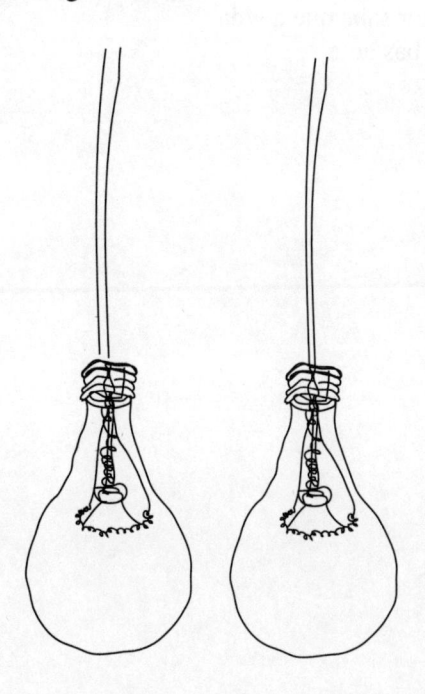

o amor vai chegar
e quando o amor chegar
o amor vai te abraçar
o amor vai dizer o seu nome
e você vai derreter
só que às vezes
o amor vai te machucar mas
o amor nunca faz por mal
o amor não faz jogo
porque o amor sabe que a vida
já é difícil o bastante

eu estaria mentindo se dissesse
que você me deixa sem palavras
a verdade é que você deixa minha
língua tão fraca que ela esquece
a linguagem que fala

ele pergunta o que eu faço
digo que trabalho em uma empresa pequena
que produz embalagens para –
ele me interrompe no meio da frase
não não o que você faz para pagar as contas
o que te enlouquece
o que te deixa com insônia

eu digo *eu escrevo*
ele me pede para mostrar alguma coisa
com as pontas dos dedos
toco a parte interna de seu antebraço
e vou roçando até o pulso
os pelos se arrepiam
vejo ele fechar a boca
os músculos se comprimem
seus olhos se derramam nos meus
como se eu fosse o motivo
pelo qual eles piscam
eu desvio o olhar
quando ele se move em minha direção
eu recuo

é isso que você faz então
você exige atenção
minhas bochechas coram
dou um sorriso tímido
confesso que
não consigo evitar

você pode não ter sido meu primeiro amor
mas foi o amor que tornou
todos os outros amores
irrelevantes

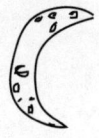

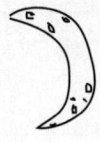

você me tocou
sem nem precisar
me tocar

como você faz para deixar
meu fogo selvagem
tão suave que acabo virando
água corrente

você tem cara de quem cheira a
mel e nenhuma dor
me deixa experimentar um pouco

seu nome
é a conotação
positiva e negativa
mais forte em qualquer língua
ou ele me acende ou
me deixa dias em agonia

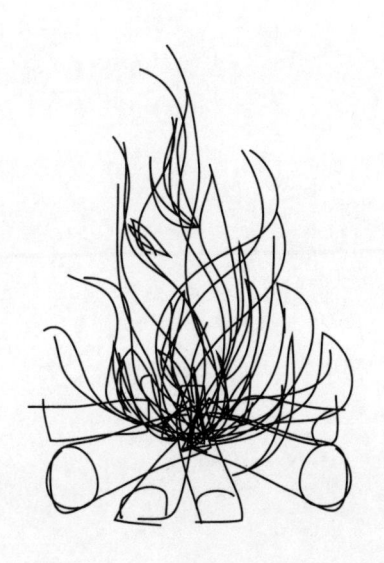

você fala demais
ele sussurra no meu ouvido
conheço jeitos melhores de usar essa boca

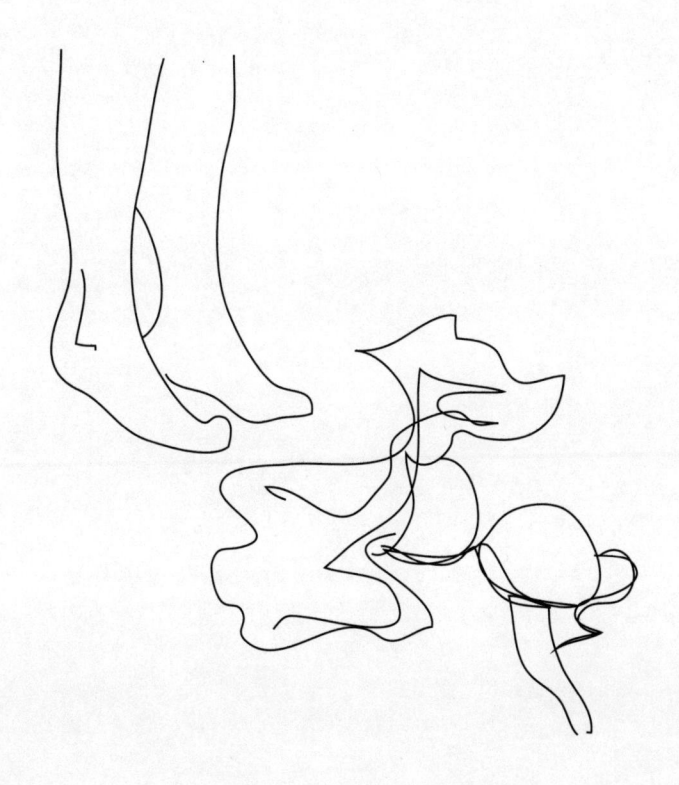

é a sua voz
que me despe

meu nome soa tão bem
beijando de língua sua língua

você envolve meu cabelo
com os dedos
e puxa
é assim
que você tira
música de mim

- *preliminares*

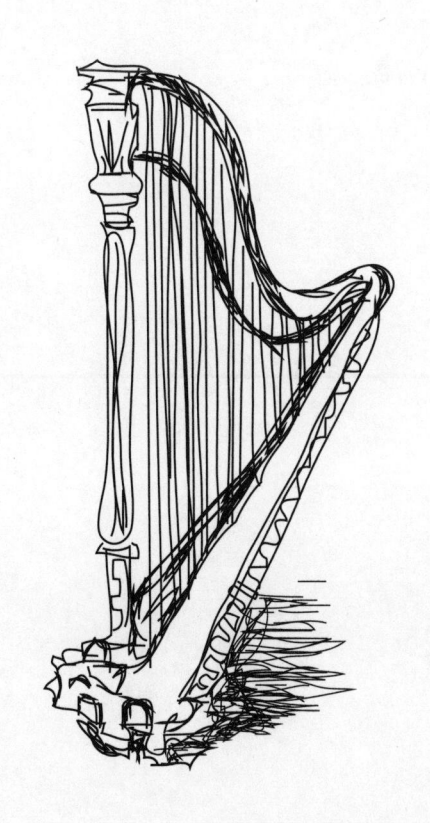

em dias
como hoje
preciso que você
passe os dedos
pelo meu cabelo
e fale baixinho

- *você*

quero que suas mãos
segurem
não minhas mãos
que seus lábios
beijem
não meus lábios
mas outros lugares

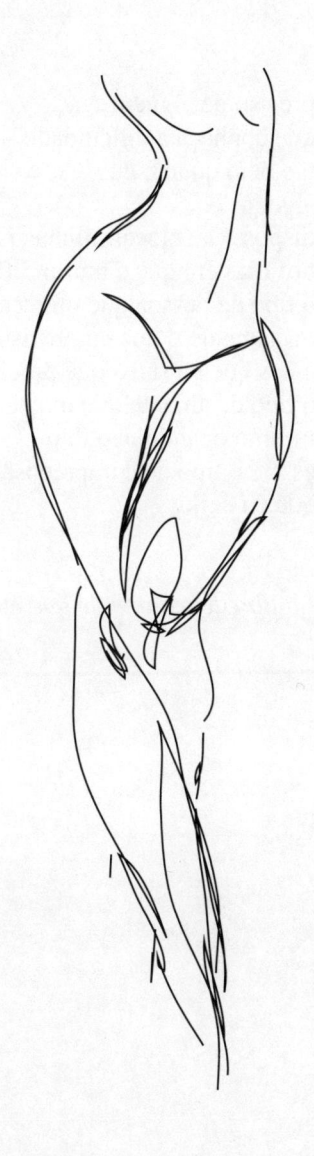

preciso de alguém
que conheça a dificuldade
tão bem quanto eu
alguém
disposto a colocar minhas pernas no colo
nos dias em que é muito difícil ficar em pé
o tipo de pessoa que ofereça
exatamente o que eu preciso
antes que eu saiba que preciso
o tipo de amante que me ouça
mesmo quando não falo
esse é o tipo de compreensão
que eu exijo

- o tipo de amante de que eu preciso

você coloca minha mão
entre minhas pernas
e fala
faça esses dedinhos lindos dançarem pra mim

- *performance solo*

nós temos discutido mais do que deveríamos. sobre coisas
com que nenhum dos dois se importa ou lembra porque
assim evitamos as perguntas maiores. em vez de perguntar
por que nós não falamos *eu te amo* tanto quanto antes.
nós brigamos por coisas como: quem deveria se levantar
primeiro e apagar a luz. ou quem deveria colocar a
pizza congelada no forno depois do trabalho. atacando as
partes mais vulneráveis um do outro. somos como um espinho
espetado no dedo meu amor. sabemos exatamente onde dói.

e hoje as cartas estão na mesa. como aquela vez que
você falou dormindo um nome que não era nada parecido com
o meu. ou semana passada quando disse que ia chegar tarde
do trabalho. liguei e disseram que você tinha ido embora
fazia umas horas. onde é que você estava por umas horas.

eu sei. eu sei. suas desculpas fazem todo o sentido do
mundo. e eu fico meio nervosa por qualquer coisa
e no fim começo a chorar. mas o que você esperava
querido. te amo tanto. me desculpa por pensar que estava
mentindo.

é aí que você fica frustrado e coloca as mãos na
cabeça. meio me suplicando pra parar. meio farto e de saco
cheio. a toxina de nossas bocas queimou nossas bochechas.
estamos menos vivos que antes. com menos cor no rosto.
mas não se engane. não importa aonde isso vai chegar nós
dois sabemos que você ainda quer me jogar no chão.

especialmente quando grito tão alto que nossa briga acorda
os vizinhos. e eles vêm correndo até a porta pra salvar
a gente. baby não abra a porta.

em vez disso. me engana que eu gosto. me abre como mapa. e
com o dedo vá rastreando os lugares que ainda quer *****
em mim. beije como se eu fosse o centro de gravidade e você
caísse em mim como se minha alma fosse o ponto focal da
sua. e quando sua boca estiver beijando não minha boca
mas outros lugares. minhas pernas se abrirão por hábito. e
é aí que. te puxo pra dentro. te trago de volta. pra casa.

quando a rua inteira estiver olhando pela janela
perguntando por que tanto barulho. os carros de bombeiros
que chegaram pra nos salvar não conseguem saber
se as chamas começaram com nossa raiva ou nossa paixão.
vou sorrir. jogar a cabeça pra trás. arquear meu corpo como
montanha que você quer partir ao meio. pode lamber amor.

como se sua boca tivesse o dom da leitura e eu fosse
seu livro favorito. ache a página favorita no ponto macio
entre minhas pernas e leia devagar. fluente. com vontade.
não ouse deixar nem uma palavra intocada. e eu juro
que o final vai ser tão bom. as palavras finais vêm vindo.
deslizando pra sua boca. e quando você terminar. sente-se.
porque é minha vez de fazer música com os joelhos
no chão.

meu bem. é assim. que arrancamos linguagem um
do outro com a ponta da língua. é assim que
discutimos. é assim. que fazemos as pazes.

- como fazemos as pazes

a ruptura

eu sempre
me enfio
nessa confusão
eu sempre deixo
que ele diga que sou incrível
e meio que acredito
eu sempre pulo pensando
que ele vai me segurar
na queda
irremediavelmente eu sou
a amante e
a sonhadora e
isso ainda
acaba comigo

quando minha mãe diz que mereço coisa melhor
eu te defendo por força do hábito
ele ainda me ama eu grito
ela olha para mim com olhos derrotados
do jeito que os pais olham para os filhos
quando sabem que esse é o tipo de mágoa
que nem eles conseguem mudar
e diz
pra mim esse amor não significa nada
se ele não faz merda nenhuma com isso

você estava tão distante
que esqueci que você estava lá

você disse. se é pra ser. o destino vai nos unir
de novo. por um segundo me pergunto se você é mesmo
tão ingênuo. se acredita de verdade que o destino funciona
assim. como se ele vivesse no céu e nos observasse. como
se tivesse cinco dedos e passasse o tempo movendo a gente
como peças de xadrez. como se não fossem as escolhas que
fazemos. quem foi que te ensinou isso. me diz. quem
foi que te convenceu. de que você ganhou um coração e
uma cabeça que não pertencem a você. que suas ações
não definem o que vai acontecer com você. quero
gritar e berrar que *somos nós seu idiota. somos as únicas
pessoas que podem nos unir novamente.* mas em vez
disso eu sento quieta. sorrindo de leve pensando
entre lábios trêmulos. é ou não é uma coisa trágica.
quando você vê tudo tão claro mas a outra pessoa
não vê nada.

não confunda
sal com açúcar
se ele quiser
ficar com você
ele vai ficar
é simples assim

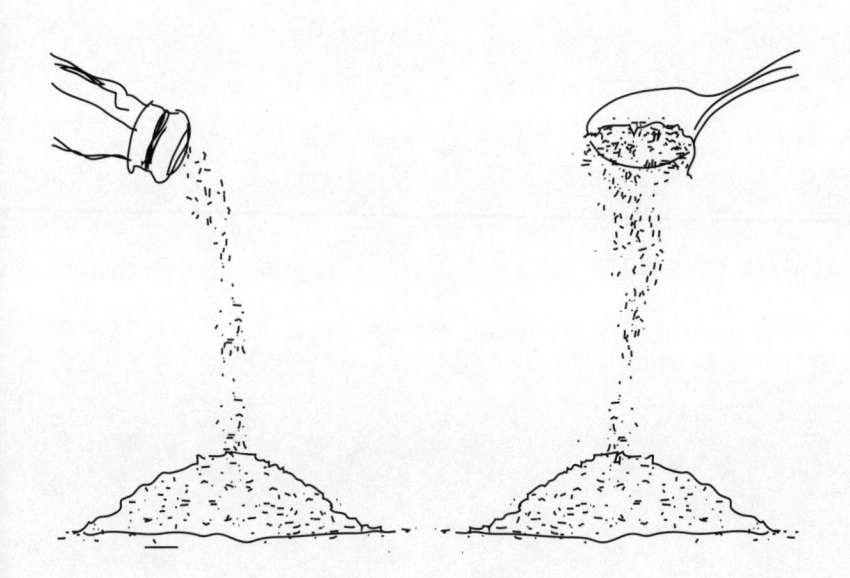

ele só sussurra *eu te amo*
quando desliza a mão
para abrir o botão
da sua calça

é aí que você tem
que entender a diferença
entre querer e precisar
você pode querer esse menino
mas você com toda a certeza
não precisa dele

você tinha uma beleza tentadora
mas quando cheguei perto me feriu

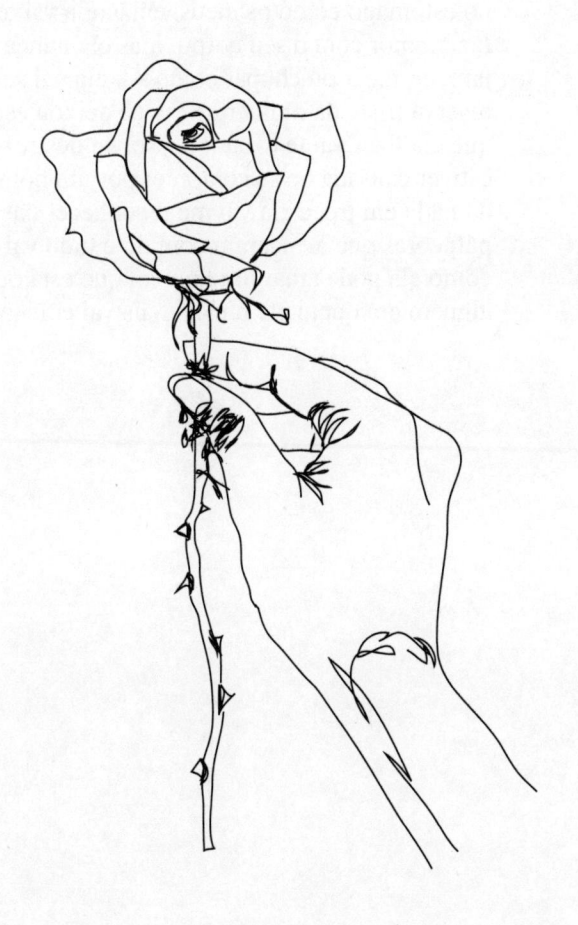

a mulher que vem depois de mim vai ser uma versão
pirata de quem eu sou. ela vai tentar escrever poemas
pra te fazer apagar aqueles que deixei decorados nos
seus lábios mas os versos dela nunca serão um soco
no estômago como os meus. então ela vai tentar
fazer amor com o seu corpo. mas ela nunca vai
lamber, tocar ou chupar como eu. ela vai ser uma
reserva triste da mulher que você deixou escapar. nada
que ela fizer vai te excitar e isso vai destruí-la. quando
estiver cansada de se contorcer por um homem que não
dá nada em troca ela vai me reconhecer nas suas
pálpebras que a encaram com dó e tudo vai fazer sentido.
como ela pode amar um homem que está ocupado amando
alguém em quem ele nunca mais vai colocar as mãos.

da próxima vez que
pedir um café preto
você vai sentir o jeito
amargo com que ele te deixou
isso vai te fazer chorar
mas você nunca vai
trocar de bebida
você prefere ter as partes
mais sombrias dele
a não ter nada

acima de tudo
quero te salvar
de mim

você passou noites o suficiente
com a masculinidade dele entre as pernas
para esquecer como é se sentir sozinha

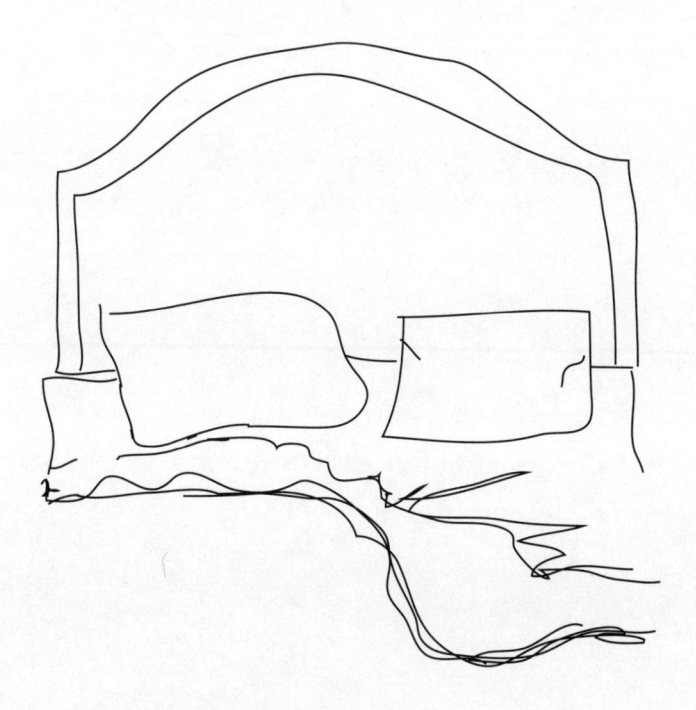

você sussurra
eu te amo
o que significa é
não quero que me abandone

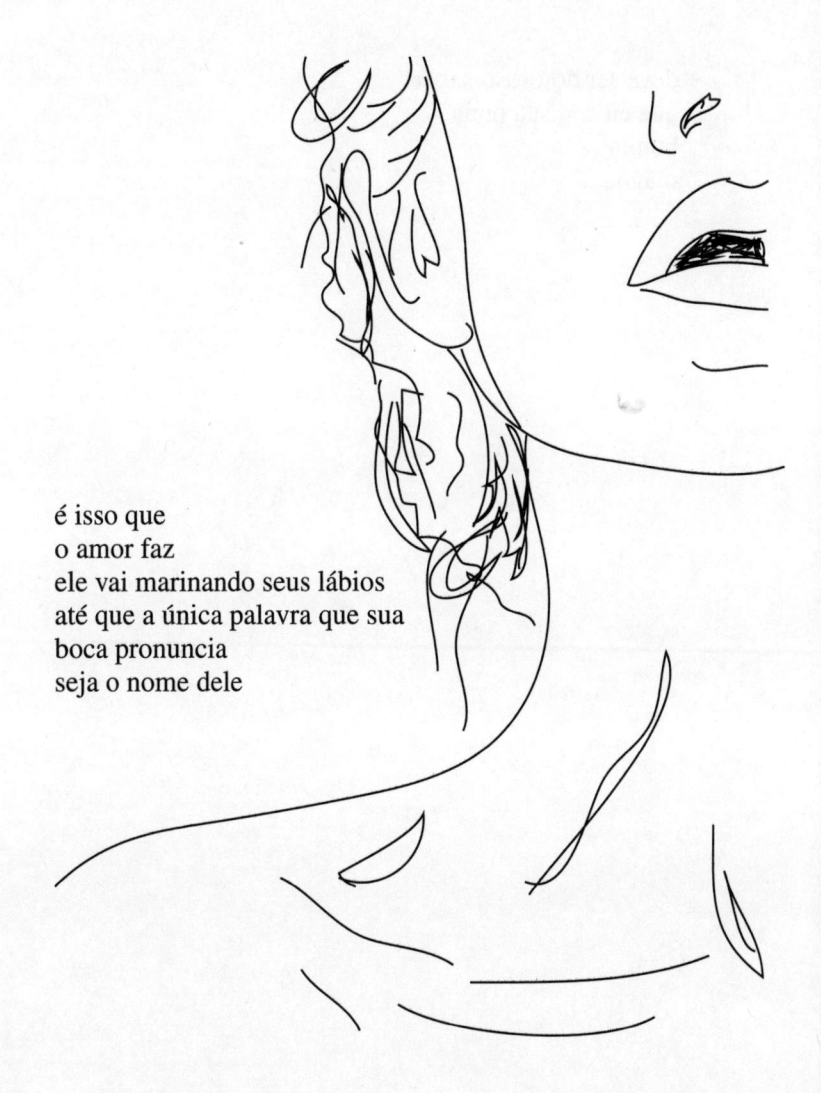

é isso que
o amor faz
ele vai marinando seus lábios
até que a única palavra que sua
boca pronuncia
seja o nome dele

deve ser doloroso saber
que eu sou sua mais
bonita
mágoa

eu não fui embora porque
eu deixei de te amar
eu fui embora porque quanto mais
eu ficava menos
eu me amava

você não devia precisar
ensiná-los a te desejar
eles precisam te desejar por conta própria

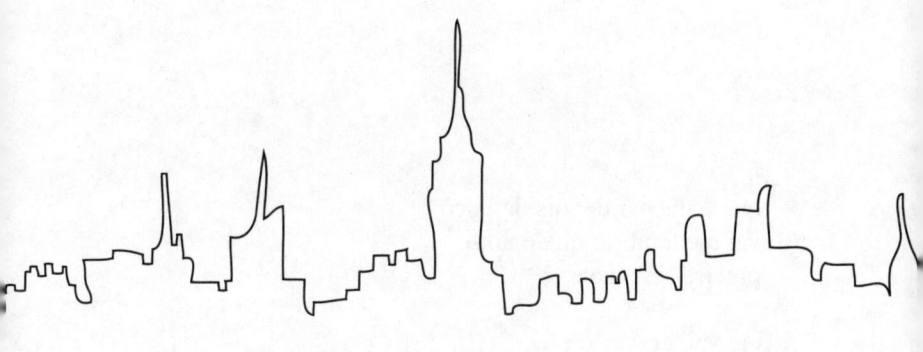

será que você pensou que eu fosse uma cidade
grande o suficiente pra passar o feriado
eu sou a cidadezinha ao redor dela
aquela que você talvez não conheça
mas sempre atravessa
aqui não tem luz de neon
nem arranha-céu ou estátua
mas não vai faltar trovoada
porque eu deixo as pontes trêmulas
eu não sou carne de vaca sou geleia feita em casa
firme o bastante pra cortar a coisa mais
doce que sua boca vai tocar
eu não sou a sirene da polícia
eu sou o estalo da lareira
eu te queimaria e mesmo assim
você não tiraria os olhos de mim
porque eu ia ficar tão gata
que você ia corar
eu não sou um quarto de hotel eu sou a sala de casa
eu não sou o whisky que você quer
eu sou a água que é necessária
então não venha com expectativas
e tente me transformar numa viagem de férias

quem chegar depois de você
vai me lembrar que o amor
precisa ser suave

ele vai ter
o gosto da poesia
que eu queria saber escrever

se
ele não consegue deixar
de humilhar outras mulheres
quando elas não estão olhando
se a virulência é vital
para sua linguagem
ele poderia te pegar
no colo e ser puro
mel
aquele homem poderia te dar açúcar na boca
e te banhar em água de rosas
e mesmo depois de tudo isso
ele não seria doce

- se você quer saber o tipo de homem que ele é

eu sou um museu cheio de quadros
mas você estava de olhos fechados

você deve ter notado
que estava enganado
quando seus dedos estavam
enfiados em mim
procurando o mel que
não jorraria por você

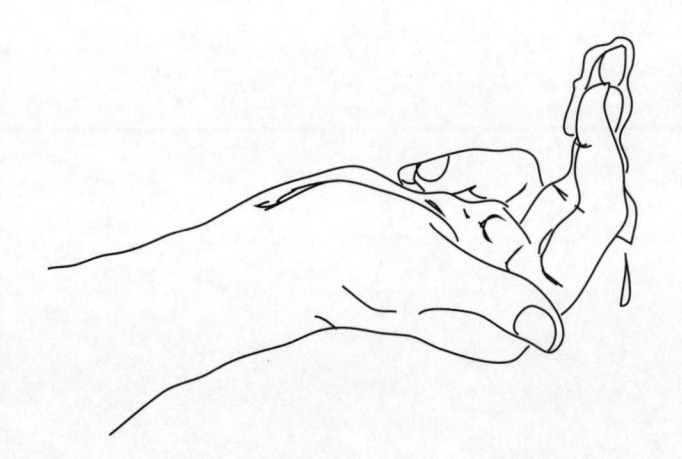

aquilo
a que vale a pena segurar
não teria escapado

quando você estiver machucada
e ele estiver bem longe
não se pergunte
se você foi
o bastante
o problema é que
você foi mais que o bastante
e ele não conseguiu carregar

o amor fez com que o perigo
em você parecesse seguro

até quando tira a roupa dela
você está procurando por mim
me desculpe por eu
ter um gosto tão bom
quando vocês dois
fazem amor ainda
é o meu nome
que escorrega da sua
língua sem querer

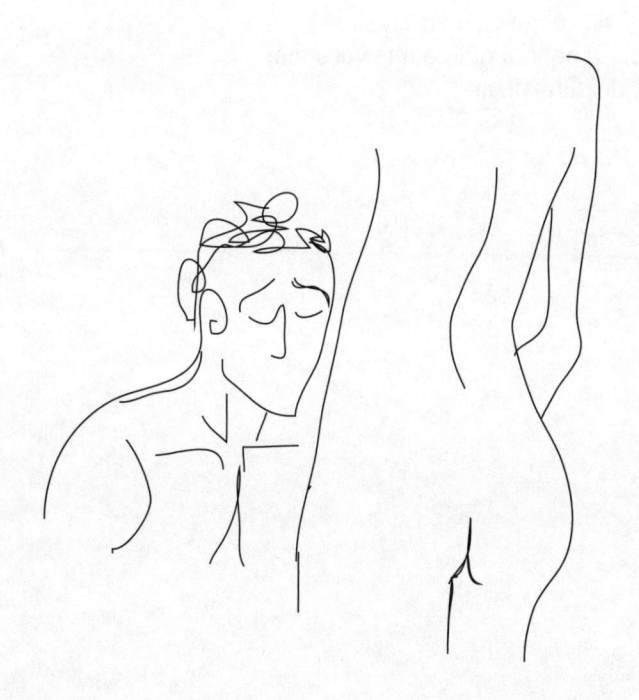

você os encara como se
tivessem o seu coração
mas nem todo mundo é
tão suave e sensível

você não vê quem
eles são
você vê quem
podem ser

você dá cada vez mais até
que arranquem tudo o que você tem
e te deixem vazia

eu tive que ir embora
eu estava cansada
de deixar que você
me fizesse me sentir
qualquer coisa
menos que inteira

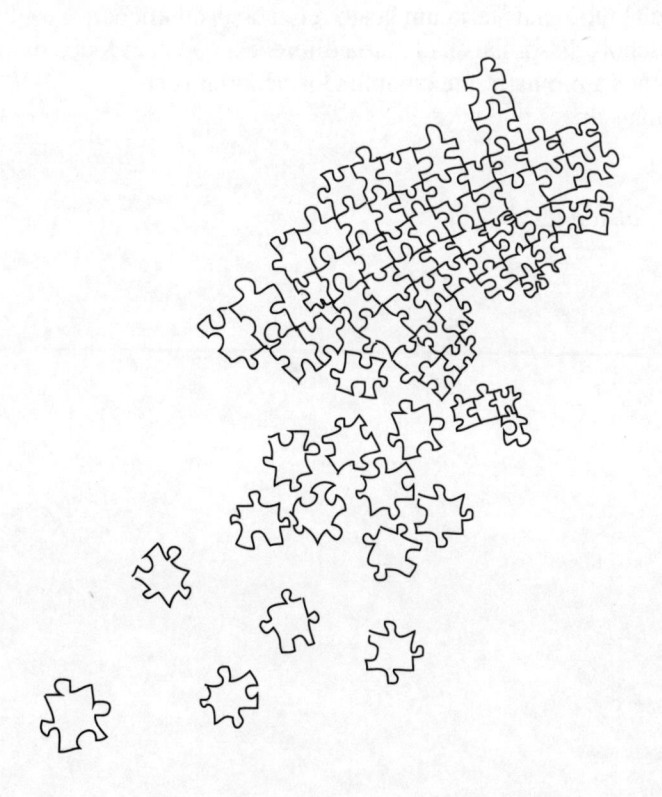

você foi a coisa mais bonita que eu tinha sentido até então. e eu estava certa de que continuaria sendo a coisa mais bonita que eu poderia sentir. será que sabe como isso pode ser sufocante. ser tão jovem e pensar que tinha encontrado a pessoa mais incrível que eu poderia conhecer. em como ia me acomodar pelo resto da vida. pensar que tinha provado o mel em sua forma mais pura e que tudo mais teria um gosto refinado e sintético. que depois disso mais nada faria diferença. que nem todos os anos à minha frente combinados poderiam ser
mais doces que você.

- falsidade

eu não sei o que é viver uma vida equilibrada
quando fico triste
eu não choro eu derramo
quando fico feliz
eu não sorrio eu brilho
quando fico com raiva
eu não grito eu ardo

a vantagem de sentir os extremos é que
quando eu amo eu dou asas
mas isso talvez não seja
uma coisa tão boa porque
eles sempre vão embora
e você precisa ver
quando quebram meu coração
eu não sofro
eu estilhaço

andei até aqui
para te dar todas essas coisas
mas você não tá nem olhando

a agredida
e a
agressora

- estive dos dois lados

eu estou desfazendo você
da minha pele

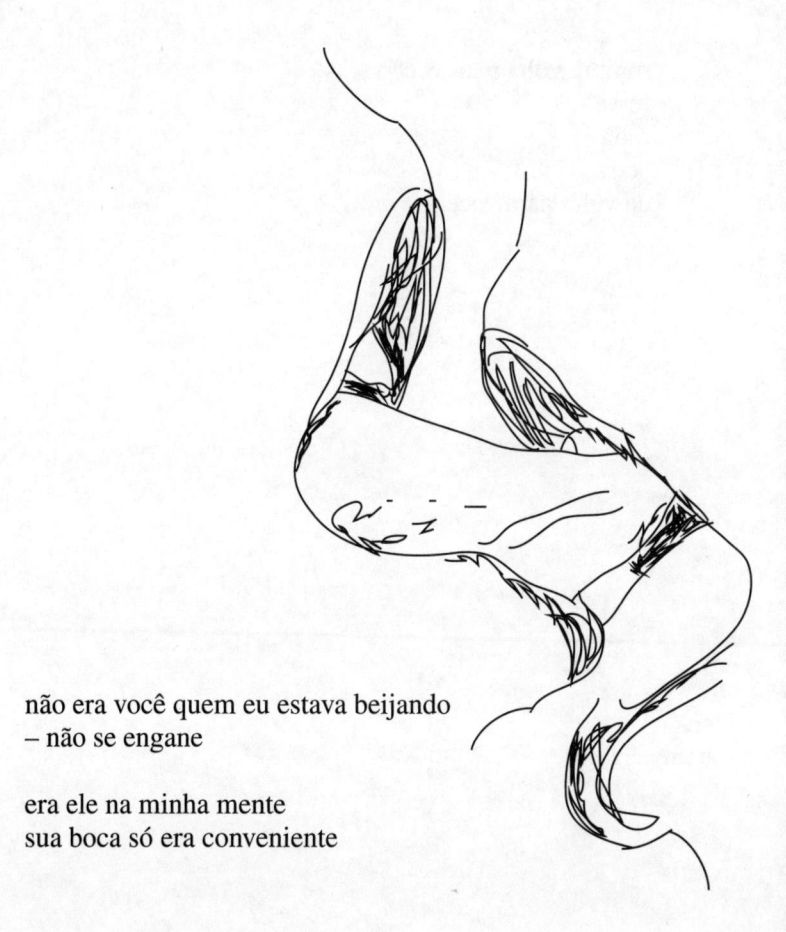

não era você quem eu estava beijando
– não se engane

era ele na minha mente
sua boca só era conveniente

sempre volta para você
ferve
roda
coça
de volta para você

eu era música
mas suas orelhas tinham sido cortadas

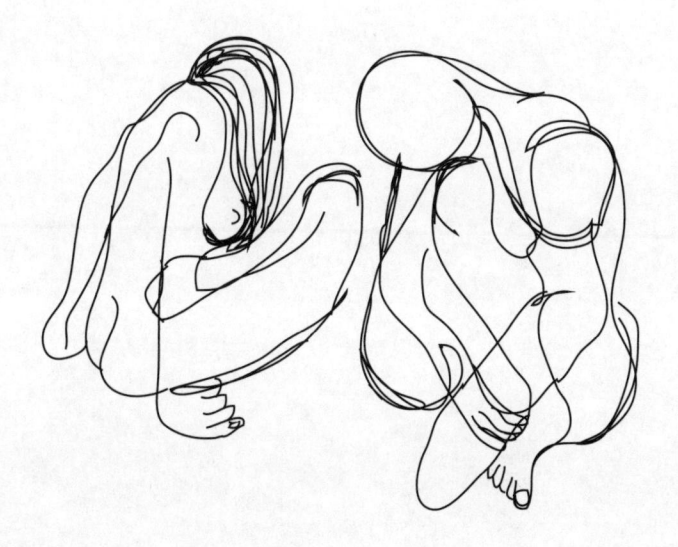

minha língua é ácida
por causa da ânsia de
sentir sua falta

não vou deixar que você
me arrume um lugar na sua vida
quando
o que eu quero é
arrumar uma vida com você

- *a diferença*

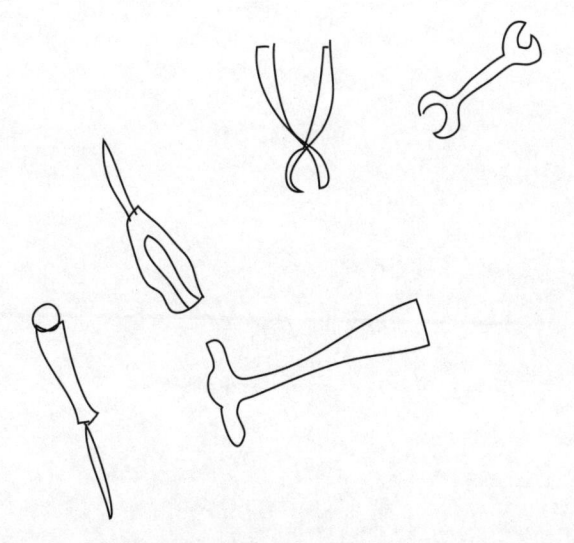

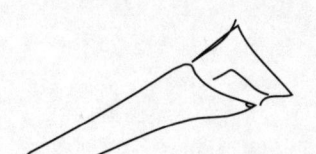

riachos correm da minha boca
lágrimas que meus olhos não carregam

você é como pele de cobra
e eu vou te arrancando sempre que dá
minha cabeça vai deixando pra lá
cada detalhe exótico
do seu rosto
o desapego se
transformou em esquecimento
e isso é a coisa
mais triste e deliciosa
que já aconteceu

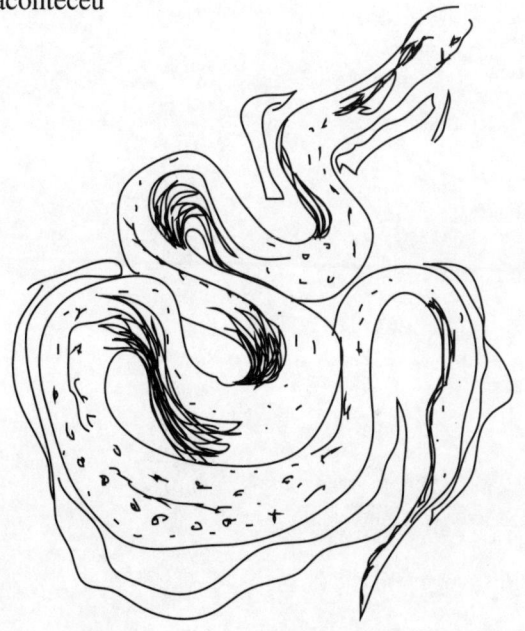

você não agiu errado quando foi embora
você agiu errado quando resolveu voltar
pensando
que podia ficar comigo
quando fosse conveniente
e me deixar quando não fosse mais

como vou escrever
se ele levou minhas mãos
com ele

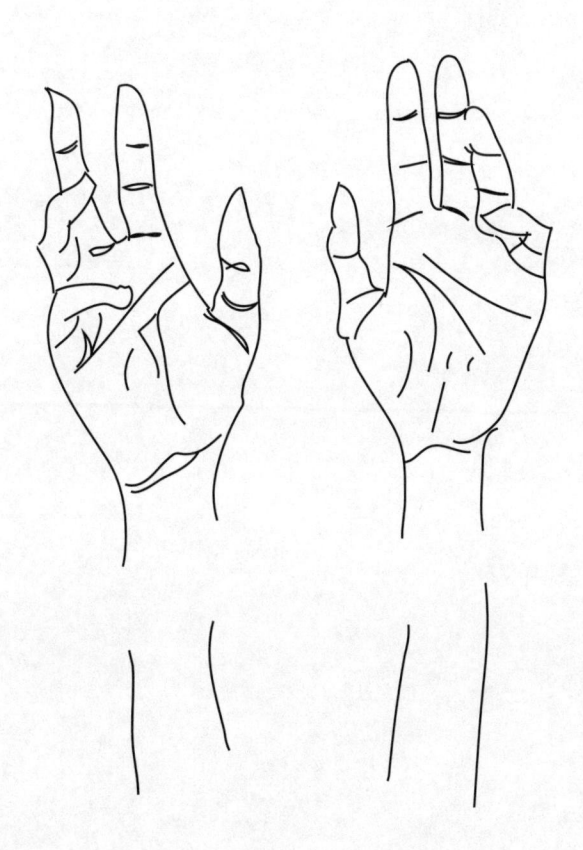

nenhum de nós está feliz
mas nenhum de nós quer desistir
então continuamos nos machucando
e chamando isso de amor

começamos
com sinceridade
vamos terminar
assim também

- *nós*

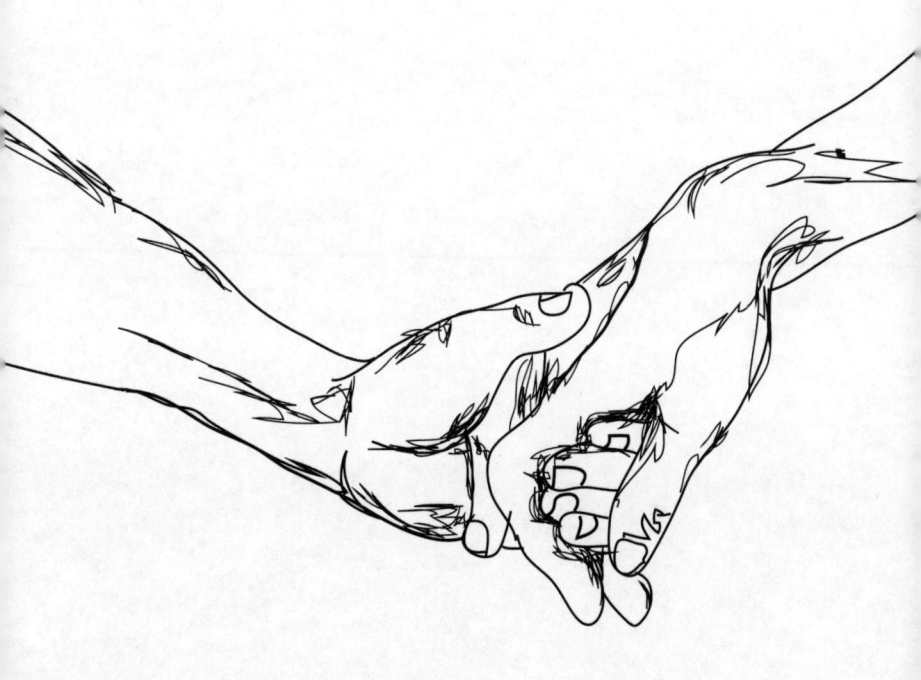

sua voz
sozinha
me leva
às lágrimas

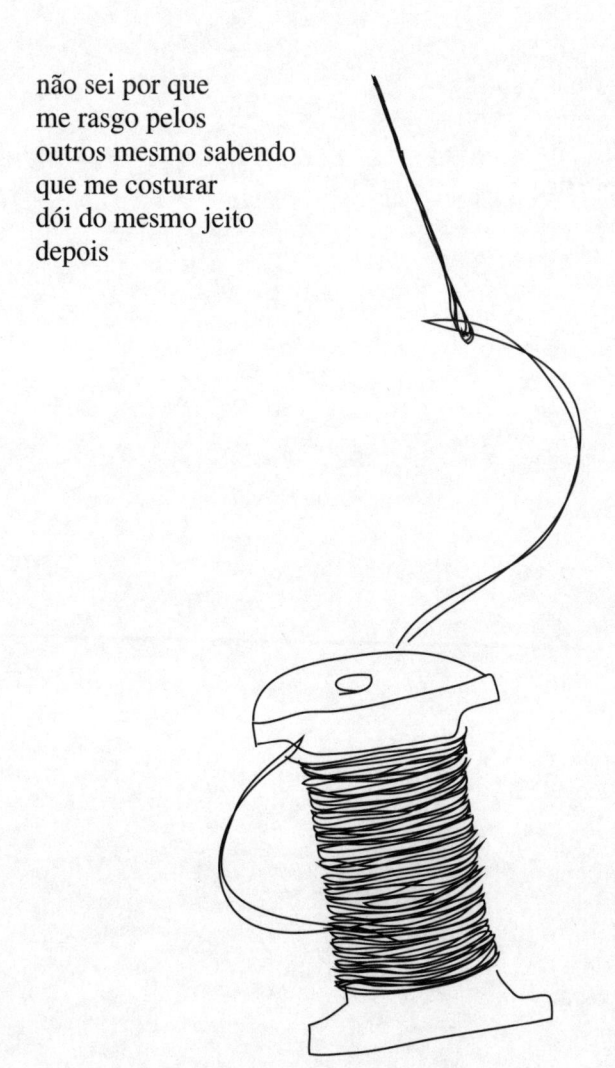

não sei por que
me rasgo pelos
outros mesmo sabendo
que me costurar
dói do mesmo jeito
depois

as pessoas vão
mas como
elas foram
sempre fica

o amor não é cruel
nós somos cruéis
o amor não é um jogo
nós fizemos um jogo
do amor

como o nosso amor pode morrer
se está escrito
nestas páginas

mesmo depois da mágoa
da perda
da dor
da ferida
seu corpo ainda
é o único
com o qual eu
quero ficar despida

na noite depois da sua partida
eu acordei tão despedaçada
que o único lugar para guardar os cacos
eram as bolsas embaixo dos meus olhos

fica
eu sussurrei
enquanto
você fechava a porta

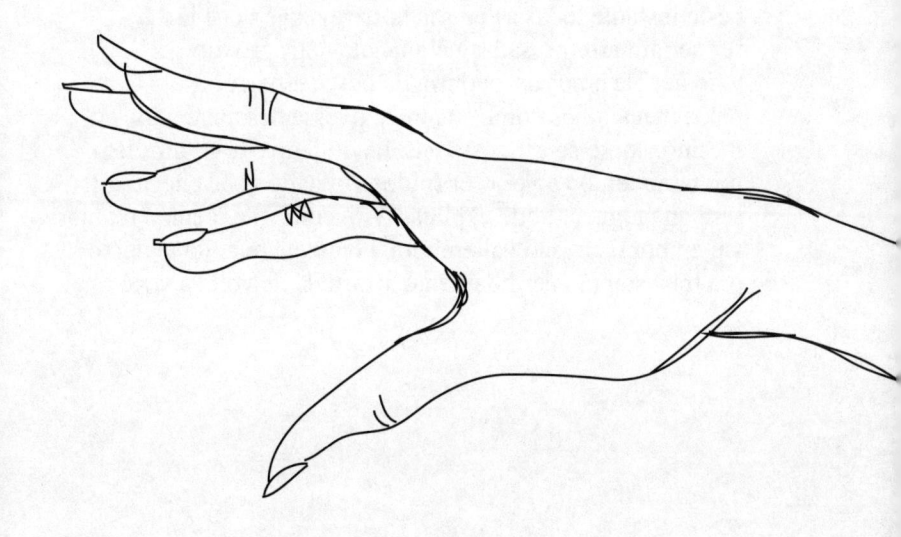

tenho quase certeza de que te superei. tanto que tem
manhãs em que acordo com um sorriso no rosto e
minhas mãos em prece agradecendo ao universo por
tirar você de mim. obrigada deus eu choramingo. graças
a deus você se foi. eu não seria o império que sou hoje
se você tivesse ficado.

mas.

tem algumas noites em que imagino o que eu faria se
você aparecesse. como se você entrasse pela porta
neste instante todas as coisas horríveis que você já
fez seriam arremessadas pela janela mais próxima e
todo aquele amor despertaria de novo. escorreria
pelos meus olhos como se nunca tivesse desaparecido
mesmo. como se estivesse ensaiando jeitos de ficar quieto
por tanto tempo só pra ser ruidoso quando você chegasse.
será que alguém pode explicar isso. como até quando o amor
vai embora. ele não vai embora. como até quando te deixo
pra trás. sou tão perdidamente arrastada de volta a você.

ele não vai mais voltar
sussurrou minha cabeça
ele precisa voltar
soluçou meu coração

- *murchando*

não quero você como amigo
quero você inteiro

- *mais*

vou perdendo pedaços de você como perco cílios
sem perceber e por todo lugar

você não pode cair fora
e ficar comigo
não posso existir em
dois lugares ao mesmo tempo

- quando você pergunta se ainda podemos ser amigos

eu sou água

leve o bastante
para gerar vida
violenta o bastante
para levá-la embora

o que mais sinto falta é de como você me amava. mas o que
eu não sabia é que seu amor por mim tinha tanto a ver com
quem eu era. era um reflexo de tudo o que eu dei pra
você. voltando pra mim. como não percebi isso. como.
pude ficar aqui imersa na ideia de que mais ninguém me
amaria daquele jeito. se fui eu que te ensinei. se fui
eu que mostrei como preencher. do jeito que precisava ser
preenchida. como fui cruel comigo. te dando o crédito pelo
meu calor só porque você o sentiu. pensando que foi
você quem me deu força. inteligência. beleza. só porque
reconheceu essas coisas. como se eu não fosse tudo isso
antes de te conhecer. e se não continuasse depois que você
se foi.

você vai embora
mas é como se não tivesse ido
por que você age assim
por que você
abandona o que quer guardar
por que você continua
onde não quer ficar
por que você acha que é ok ir para duas direções
ir e voltar ao mesmo tempo

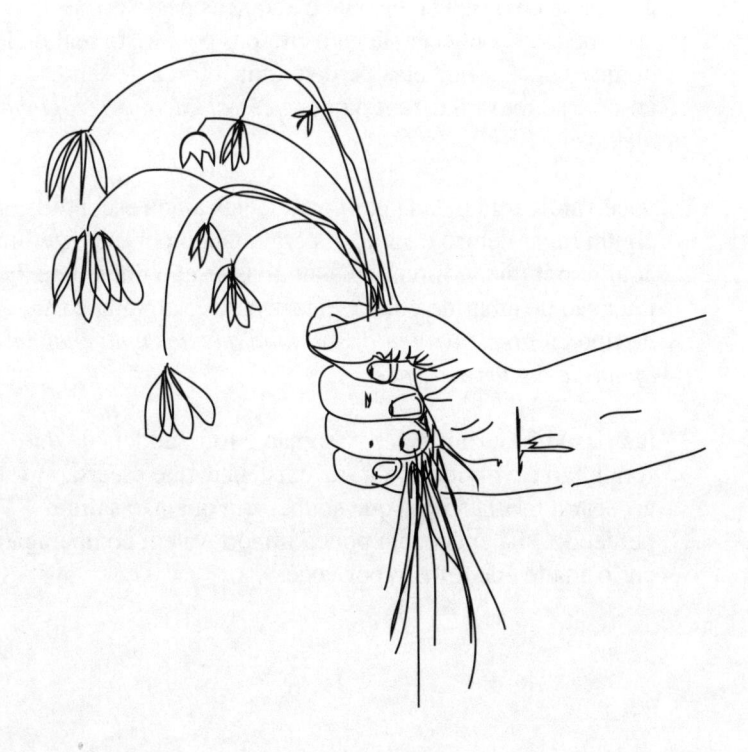

vou te falar sobre pessoas egoístas. mesmo quando sabem que vão te machucar entram na sua vida pra sentir seu gosto porque você é o tipo de criatura que elas não querem deixar escapar. você brilha muito pra que te ignorem. quando derem uma boa conferida em tudo que você tem pra dar. quando tiverem levado sua pele seu cabelo seus segredos. quando perceberem o quanto isso é real. a tempestade que você é então tudo vai fazer sentido.

é aí que a covardia se instala. é aí que as pessoas que você pensou conhecer são substituídas pela triste realidade do que são. é aí que elas perdem toda a força de seu corpo e se retiram dizendo que *você vai encontrar alguém melhor.*

você vai ficar lá pelada com parte delas ainda escondida em algum lugar dentro e soluçar. perguntando por que fizeram aquilo. por que te forçaram a amá-las se não tinham nenhuma intenção de amar de volta e elas vão dizer alguma coisa do tipo *eu precisava tentar. eu tinha que dar uma chance. afinal de contas era você.*

mas isso não é romântico. isso não é fofo. a ideia de que foram tão envolvidas pela sua existência que precisaram se arriscar a feri-la só pra que soubessem que não saíram perdendo. sua existência pouco importava em comparação à curiosidade que tinham por você.

essa é a questão sobre as pessoas egoístas. elas
transformam outros seres em apostas. almas pra satisfazer
as suas próprias. num minuto estão te pegando no colo
como se você significasse o mundo para elas e no outro
te reduzem a uma simples fotografia. um momento.
alguma coisa do passado. um segundo. elas engolem
você e sussurram que querem passar o resto de
suas vidas com você. mas no momento em que sentem
que há medo. já estão com um pé pra fora da porta
mas não têm coragem de deixar você partir com
classe. como se o coração humano fosse tão pouco para
elas

e depois de tudo isso. depois de tudo que levaram. da
ousadia. não é triste e engraçado que hoje as pessoas
tenham mais coragem de despir alguém com os
dedos do que elas têm de pegar o telefone e ligar.
pedir desculpas. pela perda. e é assim que vocês
a perdem.

- egoístas

lista de tarefas (depois que terminamos):

1. buscar refúgio na sua cama.
2. chorar. até as lágrimas acabarem (vai levar uns dias).
3. não escutar músicas lentas.
4. deletar o número da pessoa do seu telefone mesmo que esteja memorizado nas pontas dos seus dedos.
5. não olhar fotos antigas.
6. ir à sorveteria mais próxima e se presentear com duas bolas de menta com flocos de chocolate. a menta vai acalmar seu coração. você merece o chocolate.
7. comprar lençóis novos.
8. juntar todos os presentes, camisetas e tudo que tenha o cheiro da pessoa e deixar num centro de doação.
9. planejar uma viagem.
10. dominar a arte de sorrir e balançar a cabeça quando alguém mencionar o nome da pessoa no meio da conversa.
11. começar um projeto novo.
12. aconteça o que acontecer. não telefonar.
13. não implorar por quem não quer ficar.
14. parar de chorar mais cedo ou mais tarde.
15. se dar ao luxo de se sentir idiota por acreditar que você poderia ter construído uma vida na barriga de alguém.
16. respirar.

o jeito como
vão embora
diz
tudo

a cura

talvez
eu não mereça
coisas boas
porque estou pagando
pecados dos quais não
me lembro

a questão sobre escrever é que
não sei se vou acabar me curando
ou me destruindo

não se dê ao trabalho de agarrar
aquilo que não te quer

- *você não pode obrigar ninguém a ficar*

você precisa começar um relacionamento
consigo mesma
antes de mais ninguém

aceite que você merece mais
do que amor doloroso
a vida nos move
a decisão mais justa
com o seu coração
é se mover junto

faz parte da
experiência humana sentir dor
não tenha medo
abra-se

- *evoluindo*

a solidão é um sinal de que você está precisando desesperadamente de si mesma

você tem o hábito
de depender
dos outros para
compensar aquilo que
você acha que não tem

quem te fez
cair na história
de que outra pessoa
deveria te completar
se o máximo que alguém pode fazer é complementar

não procure cura
aos pés daqueles
que te machucaram

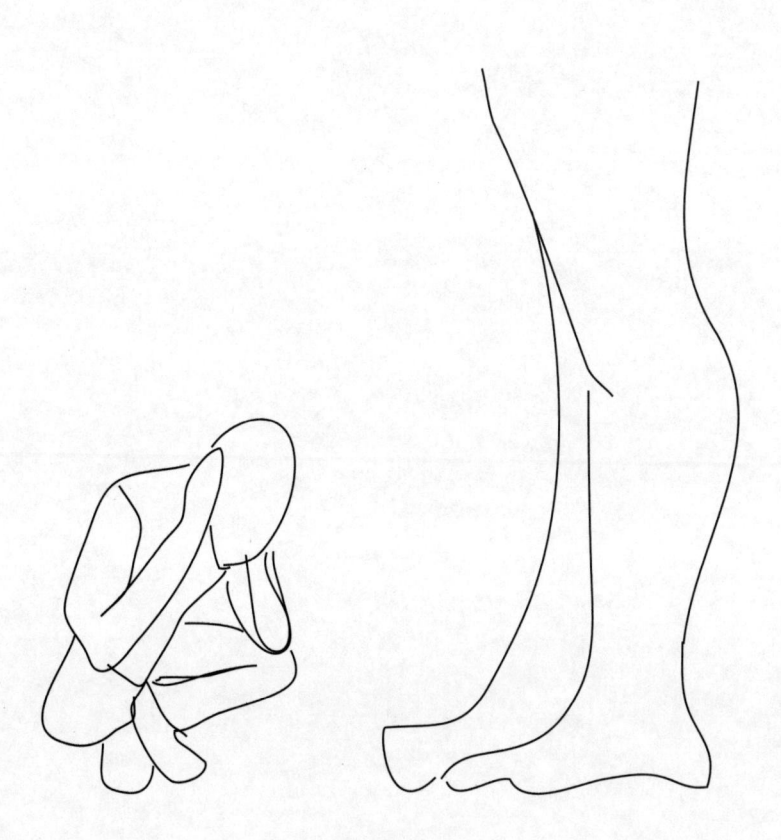

se você nasceu com
fraqueza para cair
você nasceu com
força para levantar

talvez as pessoas mais tristes
sejam as que vivem esperando
por alguém que nem sabem
se existe

- 7 bilhões de pessoas

fique firme enquanto dói
faça flores com a dor
você me ajudou
a fazer flores com a minha
então floresça de um jeito lindo
perigoso
escandaloso
floresça suave
do jeito que você preferir
apenas floresça

- para quem me lê

agradeço ao universo
por levar
tudo o que levou
e por me dar
tudo o que está dando

- *equilíbrio*

é preciso ter elegância
para continuar sendo gentil
em situações cruéis

caia
de amores
por sua solidão

há uma diferença entre
alguém dizer que
te ama e
de fato
te amar

às vezes
o pedido de desculpa
não vem
quando se espera

e quando vem
não é esperado
nem necessário

- você chegou atrasado

você me diz
que não sou como as outras
e aprende a me beijar de olhos fechados
tem alguma coisa na frase – alguma coisa
em precisar ser diferente das mulheres
que chamo de irmãs para ser amada
que me faz querer cuspir sua língua de volta
como se eu fosse sentir orgulho por ter sido escolhida
como se eu ficasse aliviada porque você pensa
que sou melhor do que elas

da próxima vez que ele
comentar que os
pelos das suas pernas
cresceram de novo lembre
esse garoto que o seu corpo
não é a casa dele
ele é um hóspede
avise que ele
nunca deve passar por cima
das boas-vindas
de novo

ser
suave
é
ter
poder

você merece
se encontrar completamente
no seu ambiente
não se perder no meio dele

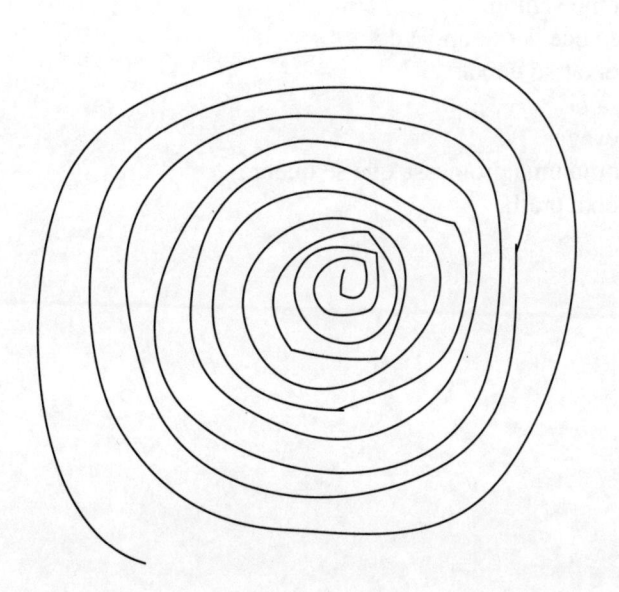

eu sei que é difícil
acredite
eu sei que parece
que o amanhã não vai chegar nunca
e que hoje vai ser o dia
mais difícil de aguentar
mas eu juro que você vai aguentar
a dor passa
como sempre
se você der tempo à dor e
deixar só deixar
pra lá
devagar
como uma promessa que se quebra
deixa pra lá

gosto de ver como as estrias
das minhas coxas são humanas
e como somos tão macias porém
ásperas e selvagens
quando precisamos
adoro isso na gente
como somos capazes de sentir
como não temos medo de romper
e de cuidar das nossas dores com classe
só o fato de ser mulher
dizer que sou
mulher
me faz absolutamente plena
e completa

meu problema com o que consideram bonito
é que o conceito de beleza
se baseia na exclusão
acho pelo bonito
quando uma mulher usa o pelo
como um jardim na pele
essa é a definição de beleza
um nariz grande e adunco
apontando para o céu
como se dissesse
a que veio
pele da cor da terra
das plantações dos meus antepassados
que alimentavam uma linhagem de mulheres
com coxas grossas como os troncos das árvores
olhos de amêndoa
encobertos por convicção profunda
os rios de punjab
correm no meu sangue por isso
não venha me dizer que minhas mulheres
não são tão bonitas
quanto as mulheres
do seu país

nossas costas
contam histórias
que a lombada
de nenhum livro
pode carregar

- *mulheres de cor*

aceite-se
como você foi projetada

seu corpo
é um museu
de desastres naturais
será que você entende
o tamanho desse absurdo

perder você
foi o que levou
a mim mesma

o corpo das outras mulheres
não é nosso campo de batalha

remover todos os pelos
do seu corpo é ok
se é isso que você quer
assim como manter todos os pelos
do seu corpo é ok
se é isso que você quer

- *você só pertence a você*

parece que é deselegante
falar da minha menstruação em público
porque a verdadeira biologia
do meu corpo é real demais

é legal vender o que
uma mulher tem entre as pernas
mas não é tão legal
mencionar suas entranhas

o uso recreativo deste
corpo é considerado
uma beleza mas
sua natureza é
considerada feia

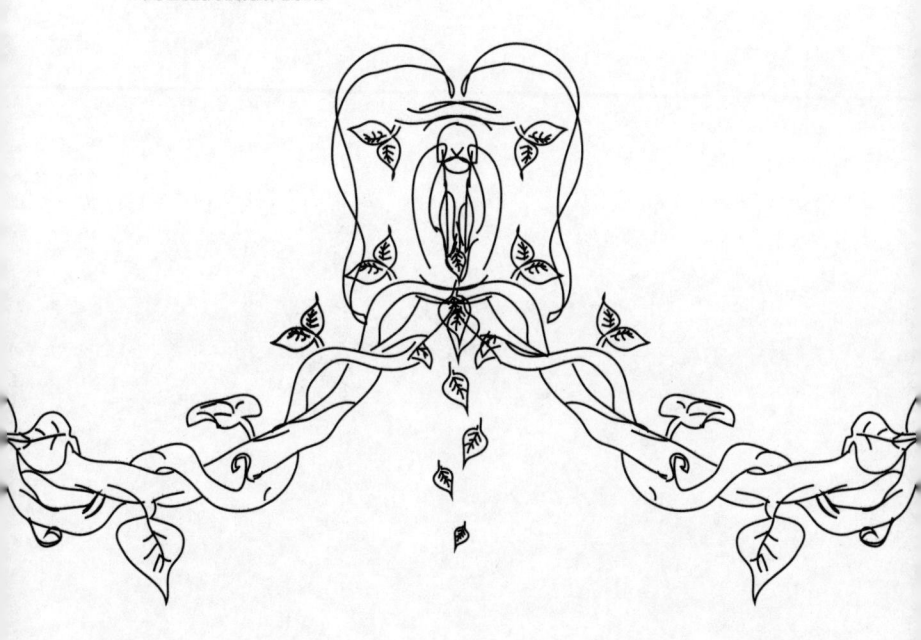

você já era um dragão bem antes
de ele chegar dizendo
que você podia voar

você vai continuar sendo um dragão
por muito tempo depois da partida dele

quero pedir desculpa a todas as mulheres
que descrevi como bonitas
antes de dizer inteligentes ou corajosas
fico triste por ter falado como se
algo tão simples como aquilo que nasceu com você
fosse seu maior orgulho quando seu
espírito já despedaçou montanhas
de agora em diante vou dizer coisas como
você é forte ou *você é incrível*
não porque eu não te ache bonita
mas porque você é muito mais do que isso

tenho
o que tenho
e estou feliz

perdi
o que perdi
e ainda
estou
feliz

- *perspectiva*

você olha para mim e chora
tudo dói

eu te abraço e sussurro
mas tudo pode curar

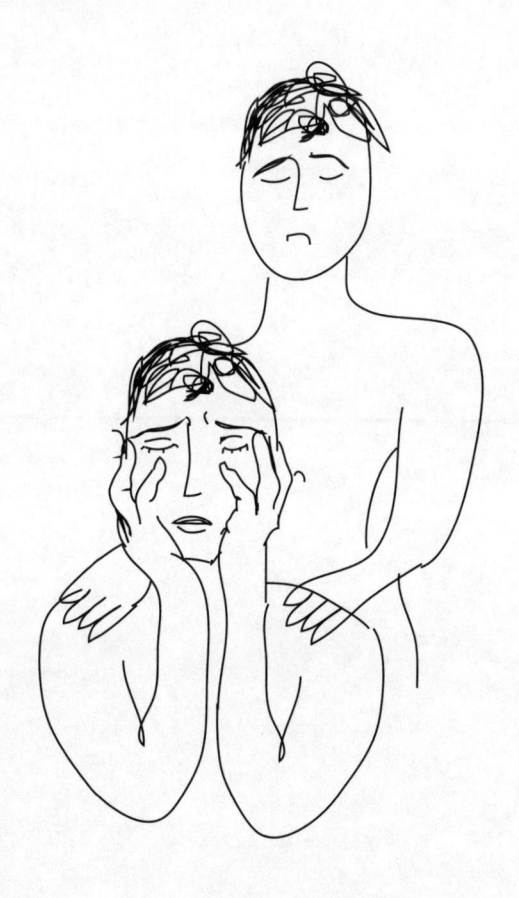

se a tristeza vem
a felicidade também

- *tenha paciência*

todos nascemos
tão bonitos

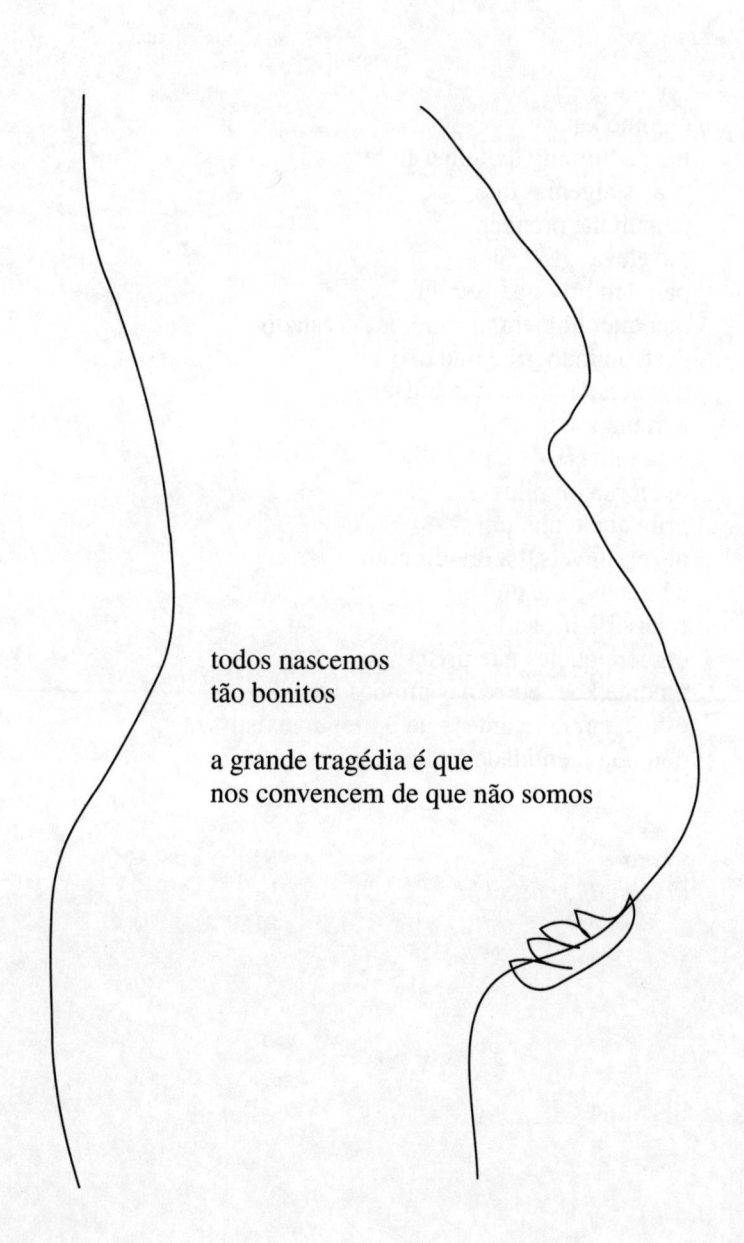

a grande tragédia é que
nos convencem de que não somos

o nome kaur
faz de mim uma mulher livre
tira as algemas que
tentam me prender
me eleva
para lembrar que sou igual a
qualquer homem mesmo que o estado
deste mundo grite que não sou
que sou a mulher que quiser e
pertenço só a mim
e ao universo
me torna humilde
grita que tenho um
dever universal a dividir com
a humanidade nutrir
e servir à irmandade
erguer aqueles que precisam
o nome kaur corre nas minhas veias
estava em mim antes que o mundo existisse
é minha identidade e minha libertação

- *kaur*
uma mulher de sikhi

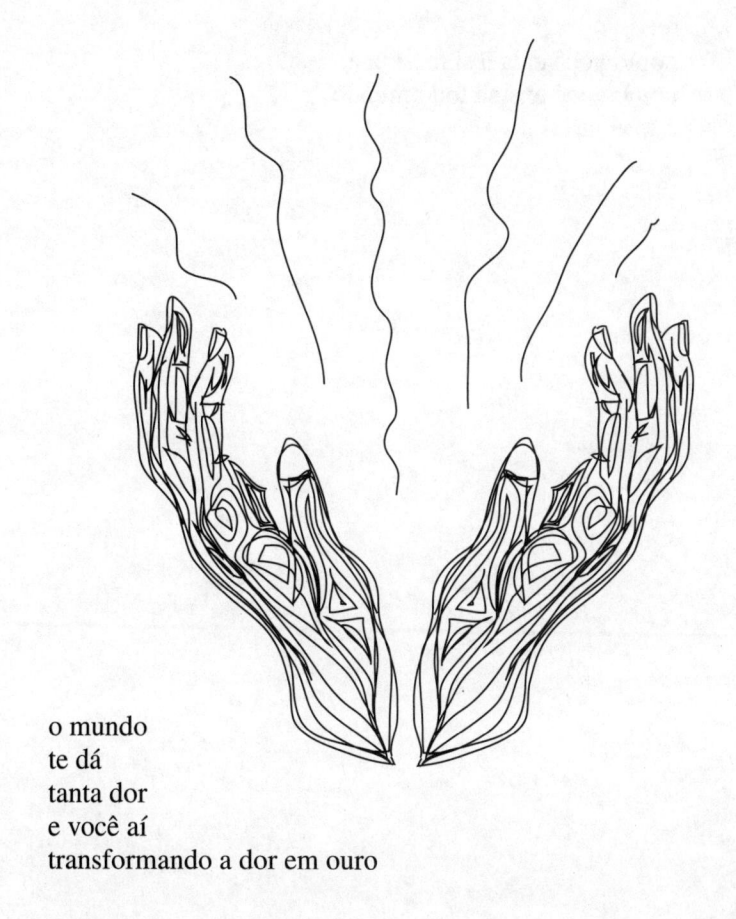

o mundo
te dá
tanta dor
e você aí
transformando a dor em ouro

- não há nada mais puro

como você ama a si mesma é
como você ensina todo mundo
a te amar

meu coração sangra pelas irmãs em primeiro lugar
sangra por mulheres que ajudam mulheres
como as flores anseiam pela primavera

a deusa entre suas pernas
faz as bocas salivarem

você
é sua própria
alma gêmea

tem pessoas
tão amargas

é com elas
que você deve ser amável

todas nós seguimos em frente quando
percebemos como são fortes
e admiráveis as mulheres
à nossa volta

se você vê beleza aqui
não significa
que há beleza em mim
significa que há beleza enraizada
tão fundo em você
que é impossível não ver
beleza em tudo

pelo
se não era pra estar aqui
não cresceria
em nosso corpo pra começo de conversa

- estamos em guerra com o que há de mais natural em nós

acima de tudo ame
como se fosse a única coisa que você sabe fazer
no fim do dia isso tudo
não significa nada
esta página
onde você está
seu diploma
seu emprego
o dinheiro
nada importa
exceto o amor e a conexão entre as pessoas
quem você amou
e com que profundidade você amou
como você tocou as pessoas à sua volta
e quanto você se doou a elas

eu quero ficar tão
enraizada ao chão
que estas lágrimas
estas mãos
estes pés
afundarão

- pé no chão

você precisa parar
de procurar um porquê em algum momento
você precisa deixar quieto

se você não é o suficiente para você mesma
você nunca será o suficiente
para outra pessoa

você precisa
ter vontade de passar
o resto da vida
antes de tudo
com você

é claro que quero ser bem-sucedida
mas não busco sucesso para mim
preciso de sucesso para conseguir
leite e mel o suficiente
para ajudar quem está em
volta a chegar lá

meu pulso acelera diante
da ideia de parir poemas
e é por isso que nunca vou parar
de me abrir para concebê-los
o amor
pelas palavras
é tão erótico
que ou estou apaixonada
ou excitada pela
escrita
ou ambos

o que mais me assusta é como
espumamos pela boca de inveja
quando os outros prosperam
mas suspiramos aliviados
quando fracassam

nosso conflito em
celebrar uns aos outros se
revelou o mais terrível
da natureza humana

sua arte
não é a quantidade de pessoas
que gostam do seu trabalho
sua arte
é
o que seu coração acha do seu trabalho
o que sua alma acha do seu trabalho
é a honestidade
que você tem consigo
e você
nunca deve
trocar honestidade
por identificação

- a todos vocês poetas jovens

ofereça àqueles
que não têm nada
a te oferecer

- *seva (serviço abnegado)*

você me abriu ao meio
do jeito mais honesto
que existe
de abrir uma alma
e me forçou a escrever
num momento em que eu tinha certeza que
nunca mais conseguiria escrever

- *obrigada*

você conseguiu chegar ao fim. com meu coração nas mãos. obrigada. por chegar aqui a salvo. por ter cuidado com o que há de mais delicado em mim. sente-se. respire. deve estar cansado. me deixa beijar suas mãos. seus olhos. devem estar precisando de alguma coisa doce. te mando toda a minha doçura. eu não iria a lugar algum e não seria nada se não fosse por você. você me ajudou a me tornar a mulher que eu queria ser. mas que tinha medo de ser. será que você tem alguma ideia do milagre que é. do quanto foi incrível. e do quanto sempre vai ser incrível. estou de joelhos diante de você. agradecendo. estou mandando meu amor para os seus olhos. que eles sempre vejam bondade nas pessoas. e que você sempre exercite a gentileza. que vejamos uns aos outros como um. que possamos nada menos que nos apaixonar por tudo que o universo tem a oferecer. e que sempre tenhamos raízes. estrutura. nossos pés firmemente plantados na terra.

- uma carta de amor de mim para você

**Acreditamos
nos livros**

Este livro foi composto em Times LT Std
e impresso pela Geográfica para a Editora
Planeta do Brasil em fevereiro de 2022.